APP… …RS
SCIENCES

LES PLANÈTES

Allan Fowler
Texte français de Claude Cossette

Conception graphique : Herman Adler Design Group

Recherche de photos : Feldman and Associates, Inc.

Catalogage avant publication de la
Bibliothèque nationale du Canada

Fowler, Allan
Les planètes / Allan Fowler;
texte français de Claude Cossette.

(Apprentis lecteurs. Sciences)
Traduction de : The Sun's Family of Planets.
Pour les 5-8 ans.
Comprend un index.
ISBN 0-439-95833-4

1. Planètes--Ouvrages pour la jeunesse.
2. Système solaire--Ouvrages pour la jeunesse.
I. Cossette, Claude II. Titre. III. Collection.

QB602.F6814 2005   j523.4   C2004-906949-7

Édition publiée par les Éditions Scholastic, 175 Hillmount Road, Markham (Ontario) L6C 1Z7.

5 4 3 2 1   Imprimé au Canada   05 06 07 08

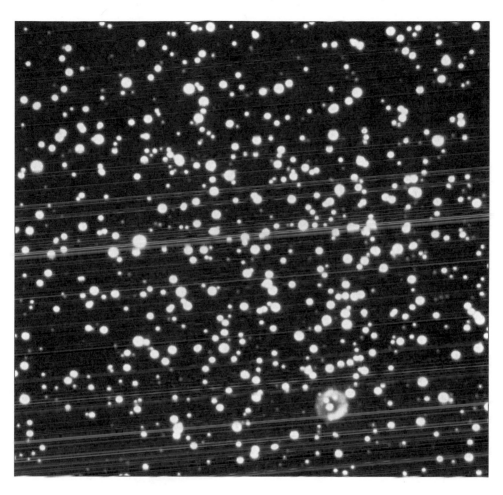

Quand la nuit est claire,
il se peut que tu voies
beaucoup d'étoiles.

Les étoiles sont très éloignées.
On dirait des points lumineux.

Le Soleil est aussi une étoile.
Il a l'air beaucoup plus gros
que les autres étoiles parce que
nous sommes très près de lui.

6

Mais les points lumineux dans le ciel ne sont pas tous des étoiles. Certains sont des planètes.

Les étoiles restent toujours dans la même partie du ciel.

Mais les planètes bougent
continuellement. Elles
tournent autour du Soleil.

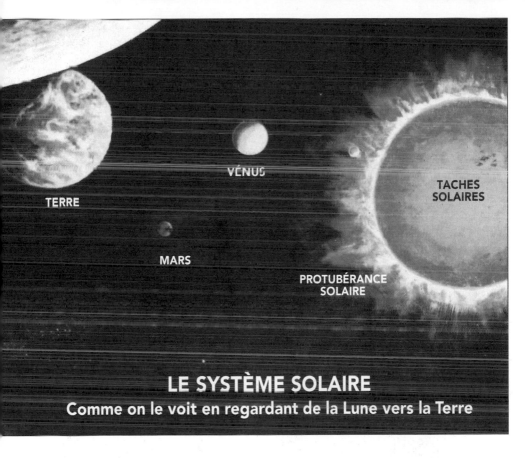

TERRE

VÉNUS

MARS

TACHES
SOLAIRES

PROTUBÉRANCE
SOLAIRE

LE SYSTÈME SOLAIRE
Comme on le voit en regardant de la Lune vers la Terre

Le Soleil et sa famille de neuf planètes s'appellent le système solaire.

Mercure est la planète la plus proche du Soleil. Tu ne pourrais pas vivre là-bas…

ni sur la deuxième planète,
Vénus. Il y fait beaucoup trop
chaud.

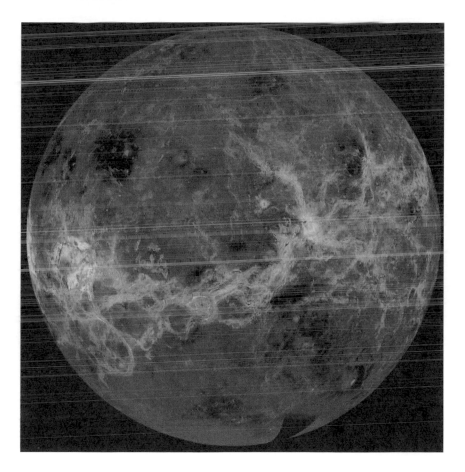

La troisième planète la plus proche
du Soleil n'est ni trop chaude,
ni trop froide.

On y trouve une grande quantité
d'air et d'eau. Tu pourrais donc
y vivre…

13

14

et, en fait, c'est là que tu vis. La troisième planète est notre Terre.

De toutes les planètes du système solaire, seule la Terre a de la végétation, ainsi que des animaux et des personnes qui y vivent.

Mars est la quatrième planète
à partir du Soleil. Son air est
froid.

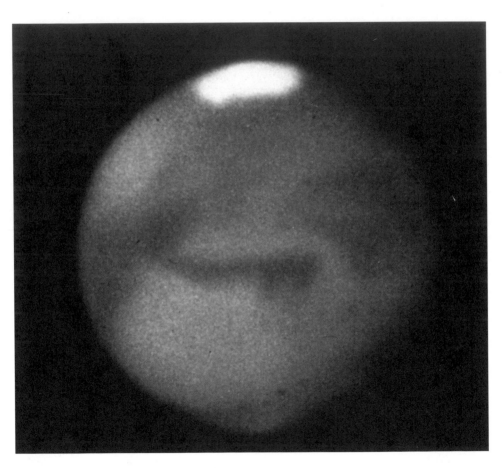

Mais tu pourrais peut-être y vivre…
si tu portais une combinaison
spatiale. La planète Mars est
couverte de poussière rouge.

Les sondes spatiales (des vaisseaux spatiaux sans personne à bord) se sont posées sur Mars et ont pris des photos.

Un jour, quelqu'un de la Terre va voyager jusqu'à la planète Mars et l'explorer.

Les planètes qui sont plus loin que Mars sont beaucoup trop froides pour qu'on puisse y vivre.

Jupiter est la plus grosse planète.
Elle pourrait contenir plus d'un
millier de planètes Terre.

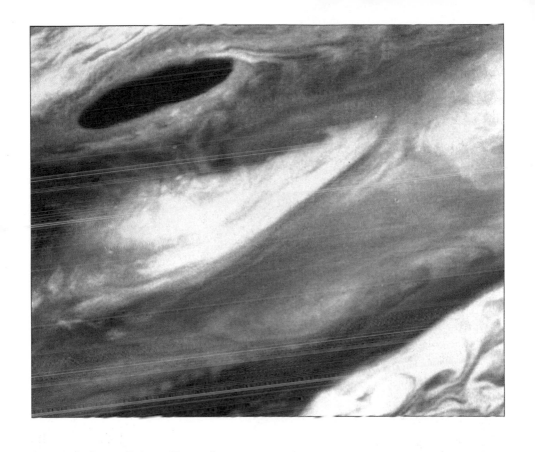

La planète Jupiter est couverte
de nuages colorés. Combien de
couleurs différentes peux-tu voir?

La planète suivante est Saturne.
Elle est entourée de magnifiques
anneaux.

Les anneaux sont faits de
morceaux de glace et de roche.

On a appelé Uranus et Neptune
les « planètes jumelles »
parce qu'elles ont presque
la même taille.

Uranus a un reflet vert.
Neptune est bleu vif.

Pluton est la plus petite planète
et la plus froide. Certains
scientifiques croient qu'elle
est en glace.

Est-ce que d'autres étoiles, à
part le Soleil, ont des planètes?

Certaines personnes croient que oui. Mais on n'a pas trouvé de planète près d'une autre étoile.

Les scientifiques cherchent d'autres planètes. Mais il y a encore beaucoup à apprendre sur les neuf planètes de notre propre système solaire.

Les mots que tu connais

système solaire

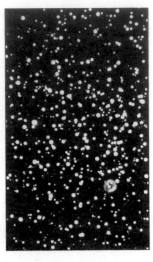

étoiles

combinaison
spatiale

sonde spatiale

Soleil

les planètes

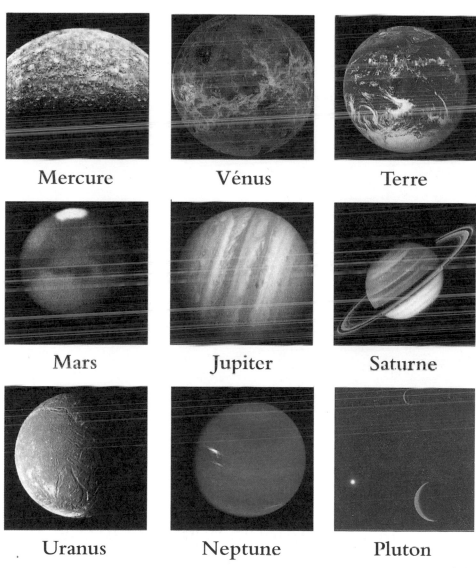

Mercure

Vénus

Terre

Mars

Jupiter

Saturne

Uranus

Neptune

Pluton

Index

Crédits-photos

NASA – Couverture, 3, 6, 17, 26, 29, 30 (en haut, à gauche et à droite, en bas, à gauche)

NASA – Jet Propulsion Lab – 10, 11, 13, 18, 20, 21, 22, 23, 25, 31 (toutes les photos, sauf celle d'Uranus)

PhototEdit – © Myrleen Ferguson, 14

Photo Researchers – © NASA/SS, 24, 31 en bas, à gauche

Photri – 5, 30 (en bas, à droite)

Couverture : Le système solaire